Eilandheimwee

Junior Lijsters
1997 nr. 4

Junior Lijsters, kinderboekenreeks voor scholieren, is een uitgave van Wolters-Noordhoff, Groningen; per jaar verschijnen vijf titels.

Titeloverzicht Junior Lijsters 1997
(ISBN 9001 54974 8)

1997/1 – Th. Dubelaar *De spiegeljongen*
(ISBN 9001 54976 4)
1997/2 – G. Kuijer *Tin Toeval in de onderwereld*
(ISBN 9001 54975 6)
1997/3 – H. Kraan *De boze heks is weer bezig!*
(ISBN 9001 54977 2)
1997/4 – S. Noort *Eilandheimwee*
(ISBN 9001 54979 9)
1997/5 – H. van de Waarsenburg *Niets zeggen!*
(ISBN 9001 54978 0)

Selma Noort

Eilandheimwee

1997
Wolters-Noordhoff bv
Groningen

Copyright © Tekst: Selma Noort 1992
Illustraties: Annemarie van Haeringen

Uitgegeven met een licentie van
Uitgeverij Leopold

ISBN 9001 54979 9

De groene huisjes

Raven woonde op een eiland. Een klein eiland.
Een eiland van zand met plukjes helmgras. En
stekelige bessestruiken. En brede stille stranden.
Je kon er het schreeuwen van de meeuwen horen
en het geraas van de branding. Als je wist waar je
zoeken moest kon je er zeehonden zien spelen op
het strand. Raven wist waar hij zoeken moest. Hij
rende, kroop of sloop over zijn eiland en soms
zag hij de zeehonden. Of dansende vogels op
lange, dunne poten. Of hij vond een bijzonder
grote zeester. Als hij een krabbetje vond dat nog
leefde, en dat door de golven op het strand was
geworpen, gooide hij het terug in zee. Want hij
wilde niet dat zo'n krabbetje op het strand dood
zou gaan.

Raven woonde in een klein houten huis, samen
met zijn zusjes Lisa en Clara, zijn vader en
moeder en Poes. Het huis was groen geschilderd.
Het trapje ervoor was paardebloemgeel, en de
dakpannen waren oranje. Ravens moeder had
gordijnen genaaid van hemelsblauwe katoen. Als
het mooi weer was stonden de ramen open en
waaiden die gordijnen naar buiten. Als het mooi
weer was klom Poes op het dak en lag ze daar in
de zon te slapen. Maar als het stormde zat Poes
binnen, tussen de hemelsblauwe gordijnen achter
het raam. Dan zaten er meeuwen op het dak.
Schreeuwende meeuwen. Ruzie makende

meeuwen op een rijtje in de beschutting van de schoorsteen.

Er stond nog een groen houten huis op het eiland. Het huis van Pake en Noenke. Pake was de vader van Ravens vader. Dus hij was de grootvader van Raven en zijn zusjes. Noenke was de dochter van Pake. Dus ze was de zus van Ravens vader. En de tante van Raven en zijn zusjes. Maar die hadden daar nooit zo over nagedacht. Noenke was Noenke.

'Noenke is nergens bang voor,' zei Clara vaak verbaasd.

'Noenke is heel sterk!' riep Lisa vaak bewonderend.

'Ze is net een wilde, met haar schichtige ogen en op haar blote voeten en haast altijd buiten, zelfs bij nacht en ontij,' zei Pake soms bedroefd.

Noenke zelf zei nooit iets.

De rode roeiboot

Aan de andere kant van het eiland lag een kleine haven. In dat haventje lagen vier bootjes. Een roeiboot om mee te vissen. Een motorboot om snel mee naar het vasteland te kunnen varen om daar boodschappen te kunnen doen, of om te gebruiken in geval van nood. Nog een motorbootje om in de zomer te verhuren. En een zeilboot.

De zeilboot was van dokter Claus. Dokter Claus woonde alleen in de zomer op het eiland. Zijn houten huisje stond aan de kant van de haven, tussen negen andere houten huisjes in.

Ravens vader had die huisjes gebouwd. Dat had hij gedaan nadat hij verliefd was geworden op Ravens moeder, lang voordat Raven werd geboren.

Op een dag was zij naar het eiland komen roeien. Toen stond er op het eiland nog maar één groen houten huisje, dat was het huisje onderaan het duin waar Ravens vader samen met Pake en Noenke in woonde. Ze had een klein krukje en een schildersezel bij zich in de roeiboot, en verf en penselen. Ze was gaan zitten en had het groene huisje onder aan het duin nageschilderd. Ravens vader was uit het huisje gekomen. Hij was achter haar gaan staan en had over haar schouder gekeken hoe ze schilderde. Ze zeiden niets tegen elkaar. Toen het donker werd was ze klaar met

haar schilderij. Ze veegde haar verfhanden af aan haar rok en keek op. Ravens vader stond daar roerloos. In zijn hand hield hij een opgedroogde verfkwast. Ze staarde hem aan. Hij kreeg een kleur en sloeg zijn ogen neer.

'Schilder jij ook?' vroeg ze.

Hij knikte.

Ze keek naar de opgedroogde gele verf aan zijn grove kwast.

'Wat schilder jij?' vroeg ze.

'Het huis, de trap, de regenton,' somde hij op. En hij zong luid: 'Daar was laatst een meisje loos, die wou gaan varen, die wou gaan varen...'

Ze begon haar schildersezel in te klappen. Ze draaide de dopjes op haar tubetjes verf.

'Als je een oranje trapje mooier vindt, dan verf ik het oranje voor je,' zei Ravens vader toen hij uitgezongen was.

'Geel is mooi,' zei ze.

'Als je blauw mooier vindt, dan verf ik het huisje blauw voor je,' zei hij.

'Groen is prima,' zei ze.

'Als je wilt, verf ik je roeiboot rood voor je,' bood hij aan.

'Rood zou prachtig zijn,' zei ze.

'Je kunt hier blijven tot je boot is opgedroogd,' zei hij.

'Dat is goed,' zei ze.

Blauwe klompen

Ravens vader had voor Ravens moeder en
zichzelf een huisje gebouwd boven op het duin,
en daarna de tien kleinere aan de andere kant van
het eiland. Zijn vader had die kleine huisjes netjes
geschilderd en toen verhuurd. Hij verhuurde ze
aan aardige mensen die in de zomer op hun stille
eiland wilden wonen. De tien huisjes aan de
andere kant van het eiland bij het kleine haventje
waren niet groen. Het huisje van dokter Claus
was blauw. Het huisje daarnaast was rood. Eén
ervan was geel. En een ander paars. En een ander
oranje. De trapjes naar de deur waren soms wit,
soms blauw en soms groen. De regentonnen
waren soms rood. Soms waren ze aquamarijn.
Ravens vader schilderde graag. En hij zong graag
luid. Soms deed hij allebei tegelijk.

Toen dokter Claus een paar jaar geleden in de
lente kwam om alvast wat proviand voor de
zomer in de kastjes van zijn gele huisje te zetten
en het ingewaaide zand naar buiten te vegen,
kreeg hij zijn sleutel niet in het slot van zijn deur.
Hij duwde tegen de deur. Hij schopte zelfs boos
tegen zijn deur. Toen keek hij nog eens goed en
zag hij dat het gele huis waar hij voor stond eerst
het rode huis van zijn buren was geweest en dat
het helemaal zijn huis niet was. Zijn huis, dat
zolang hij het had gehuurd geel was geweest, was
plotseling blauw en stond ernaast.

Toen Ravens moeder de laatste keer boodschappen ging doen en ze met z'n allen naar de haven liepen om haar naar de boot te brengen, was hun motorboot ineens paars. En het kleine motorbootje ernaast appelgroen.

'Eli toch!' zei Ravens moeder toen ze dat zag.

Ravens vader veegde zijn verfhanden af aan zijn broek, werd rood en begon hard te zingen. 'Wie wil er mee naar Wieringen varen, 's morgens vroeg al in de dauw. Met een mooi meisje van achttien jaren, dat zo graag naar Wieringen wou...' zong hij.

De volgende dag schilderde hij Pakes klompen blauw.

Hij kon het niet laten.

Een motorboot

Op een dag, toen Raven, Lisa en Clara bessen plukten en de witte, pas gewassen lakens aan de waslijn flapperden in de wind, schreeuwden de meeuwen nijdiger dan anders. Ze schreeuwden zo doordringend dat Ravens moeder, die achter haar schildersezel zat en hun huis met de wapperende witte lakens ervoor naschilderde, stopte met haar werk en omhoog keek. Ook Raven, Lisa en Clara hielden hun handen boven hun ogen tegen het schelle zonlicht, en keken omhoog. Maar ze zagen niets bijzonders.

Noenke kwam aanrennen door de duinen. Haar blote voeten schopten het zand weg. Raven en zijn zusjes zetten hun manden met bessen neer en wachtten op haar. Toen Noenke bij hen aangekomen was, wees ze hijgend in de verte.

Over de zee kwam iets, nu nog klein als een stip, recht op het eiland af. Geen zeehond. Geen dolfijn. Niet een van de vissersbootjes uit de buurt.

'Moeder!' riep Raven.

Zijn moeder liep weg van haar schildersezel en kwam bij hen staan. Zwijgend keken ze hoe de stip groter en groter werd. Het was een motorboot. Kleine toefjes witte rook kwamen uit de motor die sputterde en ronkte. Toen de boot dicht genoeg genaderd was konden ze zien dat er drie gestaltes in zaten.

Noenke keek naar Ravens moeder en trok haar wenkbrauwen op. Ravens moeder haalde diep adem, veegde haar verfhanden af aan haar rok, haalde nog een keer diep adem en zei toen: 'Kinderen, weten jullie nog dat ik jullie vertelde over die meneren, die ons lang geleden kwamen vertellen dat we een vergunning nodig hadden om onze bessen te plukken?'

'Ja moeder!' zeiden ze alle drie.

'Ze komen nu weer bij ons op bezoek,' zei Ravens moeder.

'Misschien moet je dit keer een vergunning hebben voor kleine meisjes op ons eiland,' bedacht Raven. Lisa en Clara waren drie jaar geleden geboren. Verder was er al jarenlang niets veranderd, behalve dan van kleur.

Zijn moeder aaide hem over zijn haar.

'Ze komen niet over mijn kleine meisjes praten,' zei ze. 'Ze komen voor mijn kleine jongen.'

13

Bezoek

Raven zat voor het raam op de vensterbank en leunde tegen Noenke aan die achter hem zat. Noenke rook naar zand en zout en zee. Haar verwarde lange haren kriebelden langs zijn wang. Lisa en Clara hielpen Pake met tafeldekken. Raven hoorde hun hoge stemmetjes babbelen. En hij hoorde Pakes bromstem antwoorden. Maar hij luisterde niet naar wat ze zeiden. Hij keek naar het groene huisje boven op het duin, waarvan de ramen openstonden zodat de hemelsblauwe gordijnen naar buiten waaiden. Hij kon zijn moeder zien. Ze zat aan tafel en leunde met haar ellebogen op het tafelblad. Ze frommelde met haar handen aan de kraag van haar bloes. De laatste keer dat Raven haar zo had zien zitten was toen Pake ziek was en hoge koorts had, en het erop ging lijken dat hij niet meer beter zou worden.

Zijn moeder luisterde naar de twee mannen en de vrouw die uit de motorboot waren geklommen en mopperend door het water naar het strand waren gewaad. Raven zag haar nu en dan haar hoofd schudden. Ze knikte ook een keer. Twee keer praatte ze lang. Hij kon de anderen, die toen moesten luisteren, niet zien.

'Als ik nou niet wil, komen ze me dan halen?' vroeg hij.

Noenke drukte hem dichter tegen zich aan.

'Dit is geen kwestie van willen. Dit is een kwestie van móeten,' zei Pake, die in de soep roerde.

Even later kwamen de bezoekers naar buiten. De mannen droegen donkergrijze pakken en de vrouw een zwart mantelpakje. Ze zwikten door het rulle zand het duin af, richting strand.

'Met zijn drieën maar liefst,' zei Pake, die met de soeplepel in zijn hand naar het raam was gekomen om ze te zien vertrekken.

'Ze lijken op die akelige kraaien die vorig jaar van onze bessen aten,' zeiden Lisa en Clara, die naast hem kwamen staan.

'Ik wil niet,' zei Raven.

'Je moet,' zei Pake.

Gedachten

Raven at zijn soep en keek af en toe door het raam. Zijn vader en moeder zaten op de blauwe bank naast de rode regenton. Ze hielden elkaars hand vast en zeiden zo nu en dan iets. Ze keken niet naar beneden, naar het huis van Pake en Noenke, waar Raven zat te wachten tot ze hem zouden roepen.

Hij wist best dat alle kinderen op een dag naar school moesten.

Dat wist hij omdat zijn vader en moeder hem erover hadden verteld.

Hij wist het van de kinderen van meneer en mevrouw Bloem die iedere zomer op hun eiland woonden. Die vertelden hem vaak over hun school als ze 's zomers samen speelden.

Hij wist het van dokter Claus, die hem al een paar keer had gevraagd of hij nog niet oud genoeg was om naar school te gaan.

En hij wist het omdat alle kinderen in zijn boeken ook naar school gingen – behalve één meisje, maar dat was een Indianenmeisje dat in een wigwam woonde, wel meer dan honderd jaar geleden.

Raven at zijn soep en luisterde niet naar Clara en Lisa. Hij luisterde niet naar Pake. Hij luisterde niet naar de schreeuwende meeuwen. Hij luisterde naar zijn gedachten.

Ik ga niet naar school. Ik wil niet naar school.

Ik hoef niet naar school! dacht hij. Hij dacht zo hard dat hij zijn ogen erbij dicht moest knijpen. Hij kon soep eten met zijn ogen dicht. Hij kon soep eten terwijl hij heel hard dacht.

Hij dacht aan zijn kamertje met zijn schelpenverzameling op de vensterbank en aan het stille strand en hoe hard hij daarover kon rennen. Hij dacht aan de zon die soms op een enorme sinaasappel leek voordat hij in de zee verdween, en aan het geluid van de regen op de dakpannen als hij 's middags in zijn boeken las of tekeningen maakte.

Hij dacht aan zijn vader die zong tijdens het maken van de grote pannen bessenjam. Raven hield ervan om de jam in de potten te scheppen. Hij maakte tekeningetjes op de etiketten en hij schreef er met stramme letters EILAND-BESSENJAM op. Lisa en Clara plakten de etiketten op de potten en babbelden. En hij hielp zijn vader altijd om de jampotten in de bolderkar te zetten en de bolderkar door het zand naar de motorboot te trekken, zodat zijn moeder de jam aan de winkeliers op het vasteland kon verkopen.

Hij dacht aan de gewonde meeuw die hij op een dag op het strand had gevonden. Zijn moeder had het pootje van de meeuw gespalkt. Ze hadden de meeuw kleine visjes gevoerd, totdat hij beter was.

Hij dacht aan Pake met wie hij iedere ochtend garnalen ging vangen.

Hij had geen tijd om naar school te gaan.

Hij dacht aan zijn vader en moeder die daarboven op de bank zaten. Roep me dan! dacht hij.

De zilver-zoute zee

'Maar hoe moet ik dan naar die school toe?'
vroeg Raven. Hij schopte boos tegen de poot van
de bank. Zijn moeder legde haar hand op zijn
knie om hem ermee op te laten houden.
   'Je bent wel vaker alleen weggeweest met de
kleine motorboot,' zei zijn vader. 'Je kunt het
best. Je mag de boot aanmeren langs de tuin van
de zus van dokter Claus. En dan hoef je alleen
nog maar een straatje uit te lopen.'
   'Waarom doen jullie wat die kraaien zeggen?'
vroeg Raven. Hij slikte een snik weg. En nog een.
   'Omdat ze gelijk hebben,' zei zijn moeder. 'Er
is geen reden waarom je niet naar school zou
gaan. Je ontmoet daar allemaal andere kinderen
en er is veel speelgoed en er zijn veel boeken.
Meer dan wij hier voor je hebben om mee te
spelen en om van te leren.'
   'Maar ik kan al lezen en schrijven,' zei Raven
zacht.
   'Er is nog veel meer te leren,' zei zijn vader.
Hij strekte zijn hand uit en wilde Raven over zijn
haar aaien. Maar Raven dook weg.
   'En wanneer moet ik dan naar die school toe?'
schreeuwde hij.
   'Morgen,' zei zijn moeder ferm.
   'Morgen?' gilde Raven. 'Morgen? Ik heb
morgen geen tijd, hoor!'
   'Je kunt een zeester meenemen,' zei zijn

moeder. 'En die aan de andere kinderen laten zien. En dan vertel je ze iets over ons eiland.'

'Alle kinderen gaan vroeger of later naar school,' zei zijn vader. 'En het is alleen maar overdag, en je hebt heel vaak vakantie. Je moeder en ik zijn ook naar school geweest toen we kinderen waren.'

'Maar Noenke niet!' schreeuwde Raven.

'O, jawel, Noenke ook,' zei Pake. Hij was bij hen komen staan. 'Noenke heeft het geprobeerd. Maar ze kreeg eilandheimwee. Zo erg dat ze er bijna aan doodging. Maar dat was Noenke. En jij bent jij.'

'En jij, Pake?' vroeg Raven. Er kwam toch een snik naar buiten.

'Toen ik klein was, moest ik werken op een vissersboot en kon ik niet naar school,' zei Pake. 'En dat vond ik heel erg. Ik wilde wel naar school. Ik wilde zelfs heel graag naar school.'

Raven draaide hun alle drie zijn rug toe. Langzaam en met zijn hoofd gebogen liep hij het duin af.

'Zelfs heel graag! Wat kan jij liegen, Pake!' zei zijn vader zacht. Maar Raven hoorde het toch. Hij verstond zijn moeder ook, ook al sprak ze heel zacht. 'Hij zegt het immers voor de jongen, Eli,' fluisterde ze. En ze lachte erom.

Raven begon te rennen. Hij rende door het rulle zand, het duinpad af, naar het strand.

De zee was rustig en glansde als zilver in het maanlicht. Raven rende er naar toe. Hij liep tot aan zijn knieën het water in en huilde zoute tranen in de zilver-zoute zee.

De melkwitte maan

Toen het donker was geworden, liep Raven terug
naar de groene huisjes. Hij bleef onder aan het
duin staan en keek naar boven. De gordijntjes
voor het slaapkamerraam van zijn zusjes waren
dicht. Achter het verlichte venster beneden zag
hij Pake, zijn vader en zijn moeder. Ze dronken
koffie en ze praatten. Raven wilde niet naar hen
toe. Hij liep naar Pakes huis.

Noenke stond in de keuken. Ze kneedde het
deeg voor het brood dat ze zou gaan bakken. Dat
deed ze iedere avond, want er was geen
bakkerswinkel op het eiland.

Raven ging naar binnen en bleef bij de tafel
staan kijken. Noenke sloeg de lap deeg op tafel.
Ze stompte erop met haar vuisten. Ze maakte er
een bal van en weer een lap. Ze mepte die lap
weer op tafel. Ze strooide er nog wat meel
overheen. En toen begon ze weer opnieuw.

Raven wachtte tot ze klaar was. Hij was heel
geduldig. Toen de broden in de oven stonden,
deed Noenke haar schort af. Ze hurkte voor hem
en keek hem aandachtig aan. Ze glimlachte tegen
hem, maar hij keek somber terug. Met haar
duimen trok ze zijn mondhoeken omhoog. Zo
leek het alsof hij lachte, maar toen ze zijn
mondhoeken liet zakken, keek hij weer somber.
Noenke schoof haar diepe, versleten stoel voor
het raam. Ze pakte Raven op, droeg hem naar de

stoel en zette hem bij zich op schoot. Raven legde zijn hoofd tegen haar borst. Het raam stond open. Hij kon de wind tegen zijn warme voorhoofd voelen. Hij kon Poes om zijn eigen huis zien sluipen. Hij zag in de verte het licht van de vuurtoren op het vasteland. Hij zuchtte diep.

Hij keek naar de inktblauwe lucht die langzaamaan steeds donkerder werd.

Hij keek naar de melkwitte maan die te voorschijn kwam van achter een wolk.

Zijn vader en moeder kwamen hem halen. Ze namen hem, voorzichtig om hem niet wakker te maken, van Noenkes schoot. Ze droegen hem naar zijn eigen huis, trokken hem zijn trui en zijn broek uit, en legden hem in zijn bed. Ze deden de hemelsblauwe gordijnen dicht. Ze keken rond in zijn kamertje.

Zijn moeder raapte een schelp op die van de vensterbank was gevallen.

Zijn vader legde zijn trui en zijn broek over de houten stoel en nam zich voor die stoel rood te verven in plaats van groen, zodat Raven verrast zou zijn als hij terugkwam van school.

Zijn moeder bedacht dat ze Raven op een nacht wilde schilderen, zoals hij daar lag te slapen met zijn ene arm boven zijn hoofd.

Raven droomde. Hij droomde van Noenkes schoot en de melkwitte maan.

De school

Ravens vader bracht hem weg, de volgende dag.
Hij liet Raven de boot besturen. Raven keek niet
om naar zijn moeder, Clara en Lisa, die in de
kleine haven stonden. Hij zwaaide niet. Hij had
geen zeester bij zich om aan de kinderen uit zijn
klas te laten zien. Hij voer lijnrecht over zee de
rivier op, stuurde de kleine appelgroene
motorboot netjes langs de wal en bond hem goed
vast met een echte zeemansknoop. Zijn vader
keek toe met zijn armen slap langs zijn zij, en kon
niets bedenken om te zeggen.

Raven pakte zijn trommeltje boterhammen van
het bankje in de boot en klom op de kant. Hij
liep over het gras door de tuin naar de straat.
Achter het raam van het huis stond een mevrouw.
Ze zwaaide naar hem. Zij was de zus van dokter
Claus. Raven zwaaide beleefd terug en boog toen
zijn hoofd weer.

Achter hem liep zijn vader.

'Raven,' zei die.

Raven liep door. Hij boog zijn hoofd nog
dieper. Het vasteland rook anders dan het eiland.
Het eiland rook zout. Het vasteland rook naar
gras en naar auto's. Nu stond Pake met opgerolde
broekspijpen in zee en viste naar garnalen. Wie
zou hem helpen nu hij, Raven, het niet meer kon
doen?

'Raven,' zei zijn vader nog eens.

Raven stond stil. Zijn vader haalde hem in en gaf hem een hand. Samen liepen ze verder. Zijn vader zong, zachtjes, want er waren veel mensen op straat. Meer mensen dan Raven ooit bij elkaar had gezien op zijn eiland, maar gelukkig niet zoveel als wanneer hij met zijn moeder meeging naar de markt. Zijn vader zong: 'Ik stond op hoge bergen, ik zag ter zeewaard in; ik zag een scheepken drijven, daar waren drie ruitertjes in...'

Raven zuchtte.

'Dat liedje gaat over jou,' zei zijn vader. 'Over jou en twee vrienden die je misschien op een dag meeneemt zodat we een hardloopwedstrijd kunnen houden op het strand.'

Ze waren aan het eind van de straat aangekomen. De school stond daar met ongeverfde, verweerde houten muren in de zon en de wind. Voor de school speelden kinderen.

Raven bleef stokstijf stilstaan.

Er kwam een jonge vrouw uit de school. Ze lachte en kwam recht op Raven en zijn vader aflopen.

'Dag Raven,' zei ze. 'Ik ben je juf. Ik heet Sippora.' Ze had een diepe stem. Ze had bruine ogen. Ze had een bruin vel. Ze had zwart krulhaar.

Ze nam zijn hand uit de hand van zijn vader en trok hem zachtjes mee de school in.

Het rode schrift

Sippora zette hem neer op een bankje. Ze vroeg
of hij zin had om te beginnen op school. Ze vroeg
of hij zijn naam al kon schrijven en of hij al een
paar letters kon lezen.

Raven zei dat hij al lezen en schrijven kon. Hij
vroeg of hij daarom weer naar huis mocht. Hij zei
zelfs: 'Alstublieft.'

Sippora keek hem lang aan. Toen ging ze een
vel papier pakken en een potlood. 'Laat eens
kijken wat je allemaal kunt schrijven,' zei ze
vriendelijk.

Raven schreef met het puntje van zijn tong uit
zijn mond, zo mooi als hij kon: RAVEN en
EILANDBESSENJAM. Daarna las hij een stukje uit
een boek dat Sippora hem gaf. De meeste
woorden gingen wel. Maar er zaten ook erg
moeilijke bij. Dan verzon hij maar gauw wat. Hij
hoopte dat ze het niet merken zou.

Ze liet hem niets merken. Ze keek alleen even
heel verbaasd toen ze EILANDBESSENJAM las.

'Kijk eens aan,' zei ze, en ze glimlachte naar
hem. 'Van wie heb je dat geleerd?'

'Van mijn vader,' zei Raven. 'Mag ik nu naar
huis?'

'Ik zal de andere kinderen binnenroepen,' zei
Sippora. Ze ging naar buiten en klapte in haar
handen.

Raven bleef de hele dag op de bank zitten. Hij

wilde niet meedoen met liedjes zingen. Het waren andere liedjes. Andere liedjes dan zijn vader zong. Hij wilde niets tekenen. Hij wilde vooral niet in de poppenhoek. Hij vond de plastic poppen griezelig en er stonden belachelijke kleine potjes en pannetjes waar hij toch niets in zou kunnen koken. Hij lette wel goed op en luisterde naar iedereen. En hij leerde BOOM schrijven.

Aan het eind van de ochtend gaf Sippora hem een schrift.

'Als je iets nieuws hebt geleerd, dan schrijf je dat hierin. En als je wilt mag je het mee naar huis nemen om het daar te laten zien,' zei ze.

Raven was blij met het schrift. Hij glimlachte. 'Dank u wel,' zei hij beleefd. Het was een rood schrift. Hij mocht zijn naam op de kaft schrijven.

Tussen de middag, nadat hij zijn boterhammen

op had, mochten ze buiten spelen. Raven begreep niet waarom ze zand uit de duinen hadden gehaald en dat tussen vier balken hadden gekiept. Hij begreep niet waarom de kinderen tussen die balkjes met dat beetje zand moesten spelen als de duinen vlakbij waren. Eén van de kinderen vroeg zelfs: 'Heb jij thuis ook een zandbak?'

'Wel zand, maar geen bak,' zei hij eerlijk.

Dat begrepen ze niet. Ze staarden hem aan en schepten zwijgend verder. Ze bakten taartjes van zand.

Stil keek hij toe en hij nam zich voor om een keer, op een dag, aan Sippora te vragen of ze de kinderen wilde uitleggen dat je meel, boter, suiker, eieren en een oven nodig had om taartjes te bakken.

Maar niet op zijn eerste dag.

's Middags schreef hij op de eerste bladzijde van zijn rode schrift: BOOM. Hij schreef het tien keer. Ze gingen ook spelletjes doen en Sippora vroeg of hij wilde meedoen.

Hij wilde niet meedoen. Hij wilde blijven zitten waar hij zat, op zijn hoekje van de bank. Hij bleef daar zitten totdat het tijd was geworden om naar huis te gaan, en hield de hele middag lang zijn rode schrift stijf tegen zijn borst geklemd.

De blauwe rok

Dokter Claus was op bezoek bij zijn zuster. Samen stonden ze hem op te wachten bij de kleine appelgroene motorboot. Raven rende de hele weg van school naar zijn bootje en toen hij dokter Claus zag staan, zo vertrouwd met zijn gerimpelde gezicht en zijn kale hoofd, sprong hij wild tegen hem op. Dokter Claus ving hem op, drukte hem even tegen zich aan en zette hem toen neer op het gras.

'Ik ga naar huis,' hijgde Raven.

'Wacht even, niet zo haastig,' zei dokter Claus. 'Vertel eens, missen jullie me een beetje, daar op jullie stille eiland?'

'U moet de groeten hebben van vader en moeder!' riep Raven. Hij maakte het touw los en gooide het in zijn bootje.

'En hoe was het op school?' vroeg dokter Claus.

Raven sprong in zijn bootje. 'Ze bakten taartjes van zand uit een bak!'

Dokter Claus hield zijn zus vast van het lachen. Hij lachte nog toen Raven allang de rivier af was gevaren, de zee op, en hij hem niet meer kon zien.

De zee klotste om het bootje. Het bootje deinde op de golven. Raven zat aan het stuur en glimlachte. Zijn rode schrift lag op het bankje tegenover hem. In de verte lag zijn eiland.

Hij schreeuwde tegen de meeuwen. Hij zwaaide naar een visser die hij kende. De visser zette zijn handen aan zijn mond.

'Ben je naar school geweest?' riep hij.

'Ja!' riep Raven.

De visser knikte en zwaaide nog eens. Raven voer hem voorbij en staarde naar zijn eiland. Langzaam kwam alles dichterbij. De tien houten huisjes. Twee zeehonden naast de stapel wrakhout op het strand. De bootjes in het haventje. Zijn moeder die zijn lievelingsrok aan had, haar blauw katoenen, en zijn vader en zijn zusjes die daar op hem stonden te wachten. Pake en Noenke die tegen de wind in kwamen aanlopen.

Toen hij langs het strand op het haventje aanvoer, kon hij zijn vader en zijn zusjes horen zingen. Ze zongen: 'Daar vaart een man op zee, daar vaart een man op de mosselzee, van je ram-plan-plan, van je mosselman. Daar vaart een man op zee, daar vaart een man op zee!'

Hij gooide zijn touw op de aanlegsteiger. Zijn vader ving het op. Zijn zusjes huppelden op hem af. Maar hij greep zijn rode schrift van de bank en rende ze voorbij. Hij holde struikelend over zijn eigen benen naar zijn moeder, sloeg zijn armen om haar heen en verborg zijn gezicht in het koele blauwe katoen van haar rok.

Zijn moeder lachte zacht. Ze aaide hem over zijn haar. Hij greep haar nog steviger vast en snoof diep. Al de geuren van zijn eiland zaten in zijn moeders rok.

Zand, zee, zout en verf.

Regenboogeiland

Raven leerde zoveel woorden schrijven dat hij
binnen korte tijd zijn rode schrift voor meer dan
de helft had volgeschreven. Hij leerde nieuwe
liedjes zingen, sommen maken, boomklimmen en
voetballen op het schoolpleintje. Hij maakte een
map vol tekeningen. De vuurtoren tekende hij,
tien zeesterren, twee groene huisjes en tien
gekleurde huisjes. Hij tekende het huis van de zus
van dokter Claus. Hij tekende Pake die met zijn
lieslaarzen aan in de zee stond. Hij tekende de
vier gekleurde bootjes in het haventje.

Een van de kinderen zei: 'Dat kan niet, een
roze huis.'

Een ander kind zei: 'Een gele trap, hoe kan dat
nou?'

En nog een zei: 'Oranje regentonnen bestaan
niet!'

En de vierde zei: 'Een paarse motorboot! Dat
is stapelgek!'

'Maar mijn vader houdt ervan om dingen te
schilderen,' probeerde Raven uit te leggen. 'Als
hij schildert is hij blij.'

Sippora kwam en vroeg aan alle kinderen om
in een kring te gaan zitten. Ze vroeg aan Raven of
hij nog meer over zijn eiland wilde vertellen,
zodat de kinderen uit zijn klas zich konden
indenken hoe het er daar uitzag.

Raven vertelde over zijn groene huis en het

huis van Pake en Noenke. Hij vertelde over de
zilver-zoute zee. Hij vertelde over zijn
appelgroene motorbootje, over de bessestruiken,
over zijn zusjes Lisa en Clara. Hij vertelde dat
zijn moeder schilderijen maakte. Hij vertelde dat
zijn vader jam maakte en huizen kon bouwen en
liedjes kon zingen. Hij zong zelfs een van zijn
vaders liedjes. Hij zong: 'Een meisje dat van
Scheveninge kwam, sangejo! Die was voortaan
met haar visjes belaan. Met de rikken en de
klikken en de loto, singesangejoto, mie verkoopt
de kandelaar, singsangejo!'

De kinderen uit zijn klas rolden door elkaar
van het lachen. 'Singesangejoto!' schreeuwden ze.
En: 'Rikken-en-klikken!'

Raven kreeg een kleur als vuur. Hij klemde

zijn lippen op elkaar en vertelde niets meer.
Sippora zei tegen de kinderen dat ze moesten
ophouden met hun aanstellerij. Ze was boos. Ze
zei dat Raven mooi had verteld en het liedje goed
had gezongen.

De kinderen hielden op met lachen.

In de klas tenminste.

Toen de school uitging en Raven naar zijn
bootje rende, holden ze hem achterna.

'Roze huizen bestaan niet!' schreeuwden ze.
'Gele trappen zijn stom! De zee is niet van zilver!
Liegbeest, liegbeest!'

Ze volgden hem tot aan de tuin van de zus van
dokter Claus. Verder durfden ze niet. Raven
rende naar zijn bootje, sprong er in en voer weg
zo snel hij kon.

'Ga maar weg, liegbeest,' schreeuwden ze hem
achterna. 'Ga maar gauw naar je
regenboogeiland!'

Dapper kind

Ravens vingers pelden garnalen. De schilletjes liet hij op de geblokte theedoek vallen. De roze garnaaltjes mikte hij boven op het bergje in de witte schaal die op tafel stond. Zijn vader pelde ook, en neuriede zacht. Zijn zusjes, die Pake hadden geholpen met garnalen vangen, zaten dicht tegen elkaar aan op de bank te knikkebollen voor de haard. Het was april, maar de wind was koud en zijn moeder had het vuur aangestoken toen het donker werd. Noenke klopte op de deur en kwam binnen. Ze had twee verse, geurende broden bij zich. Ze liep ermee naar de keuken, keerde de bakblikken om op de broodplank, en wachtte tot Ravens moeder ze had afgewassen.

Ravens vader hield op met neuriën. Hij keek Raven onderzoekend aan.

'Wat ben je stil,' zei hij. 'Is er iets?'

Raven schudde zijn hoofd. Hij pelde ijverig door.

'Heb je al vrienden gemaakt op school?' vroeg zijn vader. 'Je mag best iemand meenemen na school. Die mag dan bij ons eten, en dan laten we ons hele eiland zien, en we kunnen liedjes zingen. En hardlopen. Je weet toch wel dat wij het leuk vinden als je een vriendje wilt meenemen?'

Raven knikte. Hij werd vuurrood.

Noenke kwam naar de tafel toelopen met haar lege, schone bakblikken. Ze keek op Raven neer, schudde haar hoofd en holde naar buiten.

'Wat is er met Noenke?' vroeg zijn vader. En:
'Waarom krijg je nou van die rode wangen,
Raven?'

Ravens moeder kwam naar hen toelopen.

'Naar wat er met Noenke is kunnen we alleen
maar raden,' zei ze. 'Maar Ravens wangen zijn zo
rood omdat het bedtijd is, en omdat het lekker
warm is hier binnen. En omdat hij zo ijverig
garnalen zit te pellen.'

Ze bracht Lisa, Clara en hem naar bed. Eerst
fluisterde en giechelde ze nog even met zijn
zusjes. Daarna kwam ze naar Ravens kamertje.
Hij lag helemaal onder zijn dekbed. Ze kon zijn
gezicht niet zien.

'Dag, dapper kind van me,' fluisterde ze. Ze
kuste hem op zijn haar. 'Slaap maar lekker.'

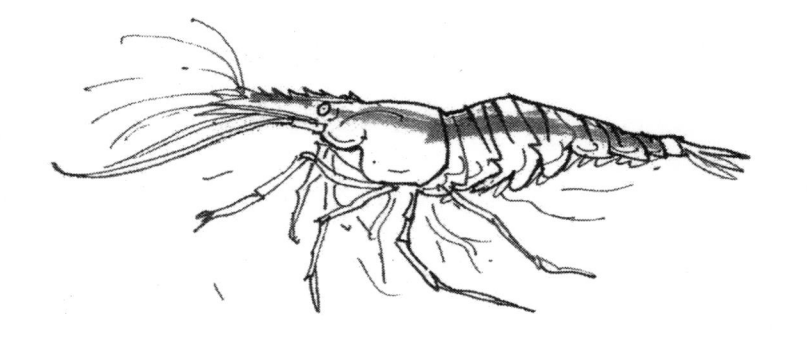

Nacht

Midden in de nacht werd Raven wakker. Hij had het benauwd. Zodra hij wakker was, herinnerde hij zich alles. Hij hoorde de stemmen van de kinderen uit zijn klas weer. 'Liegbeest!' riepen ze. 'Ga maar gauw weg naar je regenboogeiland!'

Hij klom uit bed. Over zijn pyjama trok hij zijn regencape aan. Hij deed zijn vaders sjaal om. Zacht trok hij de houten deur achter zich in het slot. Het was aardedonker buiten, en de wind stormde om het huis. Donkere wolken hingen voor de maan. Nu en dan vielen er een paar dikke regendruppels.

Hij liep het pad af naar het strand. De wind floot en huilde om zijn oren.

'Liegbeest!' riepen de kinderen. 'Fffjuuuw!' floot de wind. 'Kras op!' schreeuwde een meeuw.

Hij begon te rennen. De zee was al net zo zwart als de nacht. Het enige lichtpuntje kwam van de vuurtoren. Nu en dan. Nu en dan. Raven ging tegen een strandpaal zitten. Een rode strandpaal. Zijn vader had die geverfd, tegelijk met de stoel in Ravens slaapkamertje, pas geleden. Een rode strandpaal...

Rode strandpalen bestaan niet!

Liegbeest!

Het begon hard te regenen. Grote druppels spatten uit elkaar op Ravens gezicht. Het eiland huilde. Het regenboogeiland.

Ravens ogen raakten gewend aan het donker. Zijn oren raakten gewend aan het gefluit van de wind en het geraas van de golven.

En hij zag Noenke rennen over het strand. Haar natte haren sloegen in haar gezicht. Ze schreeuwde en raasde en lachte tegen de zee. Ze zwaaide met haar blote armen en haar vuisten. Ze schopte met haar blote voeten in het schuimende water van de donkere branding.

Raven ging staan. Hij wachtte tot ze hem zou zien. Hij keek en bedacht dat iemand Noenke, toen ze nog een kind was en had geprobeerd om naar school te gaan, misschien ook wel een liegbeest had genoemd.

Hij wilde vragen of ze nooit meer van het eiland af zou gaan en waarom niet. Hij wilde vragen of ze nooit meer iets zou zeggen en waarom niet. Hij wilde vragen of zij altijd naar buiten moest gaan, net zoals hij nu, de nacht in.

Toen ze hem zag en naar hem toe rende en hem optilde, vroeg hij het haar. Ze haalde haar schouders op.

Hij vroeg of ze haar hadden gepest vroeger, toen ze nog praatte en nog wel eens naar het vasteland ging. Ze knikte.

Hij vroeg of zij niet vond dat ze het nog een keer moest proberen. Ze schudde haar hoofd.

Ze bracht hem terug naar huis, naar bed. Toen hij haar de deur hoorde sluiten, ging hij zijn bed weer uit en keek door het raam. Ze ging niet naar haar eigen huis. Ze rende over het pad tegen de wind in, terug naar het strand.

De reuzenschelp

Raven had hem gezien toen hij was binnengekomen en er snel langs was gelopen op weg naar zijn hoekje op de bank, waar hij met gebogen hoofd was blijven zitten. De kinderen uit zijn klas dromden eromheen. Het zand in de binnen-zandbak op poten, waar de kinderen vaak met de autootjes in speelden, was netjes aangeharkt. Alle rommeltjes waren uit het zand verdwenen. Er lag alleen een schelp. Niet zomaar een schelp. Een reuzenschelp. Beige-wit en ruw van buiten, met grote kartels, en helder roze en glimmend glad van binnen. Raven keek naar zijn voeten, die vol zand zaten, en dacht na over de schelp. Hij had nog nooit zo'n schelp gezien. Hij wilde hem graag van dichtbij bekijken, en hem voelen, en aaien over het gladde roze van binnen. Hij wilde hem optillen om te voelen hoe zwaar hij was. Hij wilde hem graag tegen zijn oor houden om te luisteren of de zee er net zo in ruiste als in sommige van de schelpen die hij thuis in zijn kamertje bewaarde.

Ze begonnen die ochtend niet met rekenen.

Sippora begon met een verhaal.

'De schelp die in onze bak ligt, is niet zomaar een schelp. Het is een heel bijzondere,' zei ze.

De kinderen hielden hun adem in. Ze geloofden meteen dat het een bijzondere schelp was, zoals hij eruitzag. Raven gluurde door zijn wimpers naar Sippora's ernstige gezicht.

'Deze schelp komt van een eiland, ver, ver weg,' vertelde ze verder. Haar stem klonk dromerig. 'Een groot eiland, een warm eiland. Bijna alle mensen die er wonen zijn bruin, zoals ik. De wegen zijn van zand. Soms is het zand zo heet door de zon, dat je van je ene voet op je andere moet springen als je geen schoenen aan hebt. En de meeste mensen daar hebben geen schoenen. Er zijn bosjes, die maar weinig schaduw geven. En hoge bomen. Maar niet met heel veel kleine blaadjes, zoals hier. Nee, met soms maar een paar bladeren. Maar dan wel hele grote, waar je een dak van kunt maken op je huisje of boven je limonadekraampje. Palmbomen. In sommige van die bomen groeien kokosnoten. En in weer andere bananen. Of ananassen. Op het strand is het meestal stil. Je hebt daar meeuwen, zoals hier. Maar ook grote, trage schildpadden, die hun eieren leggen in het hete zand. En die heb je hier niet. En heel andere schelpen dan hier, soms kleiner, soms groter, en met andere kleuren. Toen ik op een dag op dat eiland over het strand liep, vond ik deze schelp. Ik was toen nog een klein meisje. Ik kon de schelp bijna niet dragen. Ik bond mijn bloesje eromheen en droeg de schelp zo over mijn schouder. Ik had nog nooit zo iets moois gezien.'

Sippora glimlachte. Haar bruine ogen keken over de hoofden van de kinderen, ver, ver weg. Ze glimlachte alsof ze de hete, felle zon op haar gezicht kon voelen.

Wijze grijze grootmoeder

'Woonde jij op dat eiland, juf?' vroeg een jongetje.

Sippora knikte. 'Toen ik klein was,' zei ze, 'toen woonde ik daar in een huisje van hout, met een dak van bladeren.'

'Was je toen net zo groot als wij?' vroeg een meisje met ronde, verbaasde ogen. 'En woonde je daar helemaal alleen?'

'Ik woonde daar met mijn zusjes en mijn moeder bij mijn grootmoeder,' zei Sippora. 'Mijn grootmoeder was al oud en al haar haren waren grijs. Ze was een wijze vrouw en ze kon heel goed verhalen vertellen. Toen ik met de schelp terugkwam, zei ze tegen me dat ik iets heel bijzonders gevonden had waar ik erg voorzichtig mee moest wezen.'

'Het is een toverschelp!' riep het kleinste meisje van de klas schel.

Sippora legde haar wijsvinger tegen haar lippen. 'Sssstt!' siste ze zacht. 'Je maakt haar bang!'

De kinderen schoven dichter naar elkaar toe op hun bankjes.

'Wie?' fluisterde de jongen die naast Raven zat. Zijn mond stond een stukje open van spanning.

'Het schelpemeisje, natuurlijk,' fluisterde Sippora.

Ze keken allemaal weer naar de schelp in de

zandbak. Die lag daar roerloos. Roerloos glanzend.

'Zit er een meisje in?' fluisterden de kinderen door elkaar.

Sippora knikte. Ze stond op en liep op haar tenen naar de schelp. 'Ze is er maar één keer uit gekomen, op mijn zevende verjaardag. En alleen maar omdat mijn grijze grootmoeder het haar vroeg. Schelpemeisjes komen alleen te voorschijn voor bijzondere mensen. Ik heb haar na mijn zevende verjaardag nog vaak genoeg geroepen. Ik heb van alles beloofd. Ik heb zelfs gehuild omdat ik haar zo graag nog eens wilde zien. Maar ze kwam nooit meer. Mijn grootmoeder zei dat ze alleen maar te voorschijn zou komen op een plaats waar ze zich helemaal veilig zou voelen.'

'Wij zullen haar niks doen, eerlijk waar!' fluisterden de kinderen.

Raven keek van Sippora naar hun ernstige gezichten. 'Liegbeest!' hadden ze geroepen. 'Roze huizen bestaan niet.'

Hij keek weer naar zijn voeten. Als het schelpemeisje net zo verstandig was als Sippora's grootmoeder, dan zou ze diep en veilig in haar schelp blijven zitten.

De gouden schoentjes

Raven zat met zijn zusjes in het zand in de zon en leunde met zijn rug tegen de warme houten achtermuur van zijn groene huis. Hij vertelde zijn zusjes over Sippora's warme eiland, en over de reuzenschelp en het schelpemeisje.

'Mogen we morgen met je mee naar school om te kijken?' vroegen Lisa en Clara met grote ogen van opwinding.

'Ik weet het niet,' antwoordde Raven aarzelend. 'Misschien zaterdag, als er geen andere kinderen zijn, en als het mag van vader en moeder.'

'Vertel je morgen weer?' vroeg Clara.

'Als Sippora ons weer iets vertelt, of als er iets bijzonders is, vertel ik jullie alles precies,' beloofde Raven.

Zijn zusjes leunden slaperig maar tevreden tegen hem aan. Clara had haar duim in haar mond gestoken. Ze zaten ieder aan een kant van hem en hij had zijn armen om hen heengeslagen. Hij luisterde een tijdje naar hun ademhaling. Hij deed zijn ogen dicht toen Lisa hem achter zijn oor en in zijn nek begon te kriebelen. Lisa kon dat heel lang volhouden. Hij zuchtte ervan. Het was prettig om zo te zitten. Als hij op zijn eiland was, leek de school heel ver weg. Toch wilde hij morgen weer gaan. Om de schelp weer te zien. En om Sippora weer te zien. Hij hield ervan om naar haar dromerige gezicht te kijken als ze even niet oplette. Als hij haar zo zag kijken, dan wist hij bijna zeker dat ze aan iets van vroeger dacht. Aan haar warme eiland waarvan ze op een dag was weggegaan, of misschien aan haar grijze grootmoeder.

De volgende morgen voer Raven bij het aanbreken van de ochtend naar school over een nevelige zee. Hij meerde zijn bootje aan en rende de schemerige straat door naar de school. De deur was al open maar het licht was nog niet aan. Hij holde de gang door, bleef hijgend in de deuropening van zijn klas staan en liep toen op zijn tenen naar de zandbak. De schelp lag er nog en glansde geheimzinnig roze in het vroege morgenlicht.

In het zand om de schelp heen, liep een spoor van heel kleine voetstapjes.

En naast de schelp stonden twee piepkleine gouden schoentjes.

Ze stonden daar alsof iemand die binnen geen zand op de vloer wilde ze had uitgedaan.

Het sigarenkistje

Toen Sippora binnenkwam en het licht aandeed,
was ze niet verbaasd dat Raven er al was.

'Het duurt nog wel even voordat de andere
kinderen komen,' zei ze. 'Wil je me helpen de
planten water geven?'

'Ja,' zei Raven.

Hij gaf alle planten water terwijl het buiten
langzaam lichter werd en de zon bleekjes door de
nevel heen brak. Sippora zat op haar groene stoel
achter haar grote tafel en schreef in een schrift,
met de pen die ze in een oud sigarenkistje op tafel
bewaarde. Nu en dan keek ze op en glimlachte
naar Raven. Toen Raven klaar was, ging hij weer
bij de schelp kijken. De gouden schoentjes
stonden er nog. Daarna ging hij achter Sippora
staan. Hij keek langs haar arm naar haar hand, die
bruin was van buiten en net als de schelp roze
van binnen, en die ijverig schreef.

'Als je een blauwe stoel mooier vindt,' zei hij
luid en dapper tegen haar hand, 'dan verf ik je
stoel blauw voor je.'

'Groen gaat best,' zei Sippora zonder om te
kijken.

'Als je geel soms mooier vindt, dan verf ik je
tafel geel voor je,' zei Raven.

'Dat zal het hoofd van de school vast niet goed
vinden,' zei Sippora.

'Als je wilt, verf ik je sigarenkistje rood voor
je,' bood Raven aan.

45

'Rood zou prachtig zijn,' zei Sippora.

'Dan krijg je het vrijdag terug,' zei Raven. 'Want voordat ik het mee terug kan nemen, moet het goed droog zijn.'

'Vader, heb je nog een blik rode verf?' vroeg Raven 's avonds.

'Natuurlijk,' zei zijn vader. 'Wat ga je verven? Zal ik het even voor je pakken?' Hij vond het fijn dat Raven hem ergens om vroeg.

'Alsjeblieft,' zei Raven. Hij ging het trapje op naar boven. Toen hij weer beneden kwam stonden er op het aanrecht twee verse, dampende broden, en zaten Pake en Noenke aan de tafel koffie te drinken. Raven vond het prettig dat ze er waren. Nu hoefde hij zijn verhaal maar één keer te vertellen. Voorzichtig droeg hij het sigarenkistje voor zich uit en zette het op tafel. Ze keken alle vier vragend van het kistje naar hem. Zijn vader had al een kwast en een schroevedraaier klaargelegd, een blik rode verf en een potje terpentijn klaargezet op een groot stuk karton. Raven trok een stoel naar de tafel, klom daarop, pakte de schroevedraaier, duwde die tussen de deksel van het blik en wrikte het open. Hij roerde de verf goed met de schroevedraaier. Daarna veegde hij die af aan het stuk karton.

Behoedzaam doopte hij de kwast in de rode verf.

Met voorzichtige streken begon hij de deksel van het kistje te verven.

Zijn vader, zijn moeder, Pake en Noenke keken toe.

Toen de deksel rood was, haalde Raven diep adem.

'Mogen Clara en Lisa zaterdag met me mee naar school? Er is iets dat ik ze wil laten zien,' zei hij.

'Natuurlijk, als je maar voorzichtig doet,' zei zijn moeder.

'En misschien neem ik op een dag iemand mee. Iemand die van schelpen houdt, en van eiland,' ging Raven verder. 'Een vriend.'

Zijn moeder en Pake begonnen opgewonden door elkaar te praten. Noenke knikte hem toe en keek toen snel weer weg. Zijn vader riep blij: 'Goed zo, jongen van me, dan gaan we een hardloopwedstrijd houden op het strand!'

Raven doopte zijn kwast weer in de verf en begon aan de binnenkant van het kistje. Hij glimlachte.

Een emmertje

De volgende dag stonden Lisa en Clara hem al op te wachten in het haventje. Zodra hij zijn bootje had vastgebonden aan de meerpaal, sprongen ze tegen hem op.

'Heb je het schelpemeisje gezien?' vroeg Lisa.

'Stonden de gouden schoentjes er nog?' riep Clara.

'Ze stonden er nog!' zei Raven lachend. 'En ook iets anders.'

'Wat dan, wat dan?' schreeuwden zijn zusjes door elkaar.

'Er stond een piepklein emmertje,' zei Raven, 'vlak naast de schelp. En er waren nu meer voetstapjes in het zand dan gisteren.'

'Ze is er weer uit geweest!' zei Clara.

'Heeft iemand haar gezien?' vroeg Lisa. Ze kneep Raven in zijn arm van opwinding.

Raven gaf hen allebei een hand en trok hen mee, het duinpad op naar huis.

'Alle kinderen stonden om de zandbak heen,' zei hij. 'Ze klopten zachtjes op de schelp en ze riepen: "Schelpemeisje, schelpemeisje, kom naar buiten, schelpemeisje, laat je zien." Maar er gebeurde niets.'

'Wanneer neem je je vriend mee?' vroeg Clara.

'Dat weet ik nog niet,' zei Raven. 'Als ik het durf te vragen.'

Thuis rende hij meteen de trap op. Het

sigarenkistje was mooi egaal rood en stond op de
vensterbank, precies zo als hij het die ochtend
had achtergelaten. Hij tilde het voorzichtig op
tussen zijn vingertoppen en bekeek het aan alle
kanten. De verf was droog.

Hij klemde het kistje tegen zijn borst en keek
uit het raam. Zijn vader en Pake waren bezig
onder aan het duin achter Pakes huis. Ze
spoelden emmers waar vis in had gezeten schoon,
en keken Pakes visnetten na.

Raven leunde uit het raam.

'Hallo!' riep hij.

Ze keken allebei tegelijk op.

Trots hield Raven het kistje omhoog.

Pake zette zijn handen aan zijn mond. 'Is rood
wel de goede kleur?' riep hij.

'Ja!' schreeuwde Raven terug.

Zijn vader begon te lachen. Hij gooide zijn
hoofd in zijn nek en lachte dat het schalde.
Daarna zong hij: 'Allen die willen naar Iseland
gaan, om kabeljauw te vangen en te vissen met
verlangen; naar Iseland, naar Iseland, naar Iseland
toe, tot drieëndertig reizen zijn ze nog niet moe!'

Sokjes

Raven stond tussen de kinderen uit zijn klas en keek in de zandbak naar het waslijntje dat naast de schelp was opgehangen. Het emmertje stond nu aan de andere kant van de schelp. De gouden schoentjes waren weg. Het waslijntje was tussen twee kleurpotloden gespannen. Over het waslijntje hingen vier piepkleine, hagelwitte sokjes.

'Zou ze vannacht uit de bak zijn geklommen om die kleurpotloden te pakken?' vroeg het kleine meisje.

'Dat ze die kon tillen!' zei een jongetje bewonderend.

Het meisje dat naast Raven stond stootte hem aan. 'Hebben ze op dat eiland van jou ook zulke

grote schelpen?' vroeg ze hard. Ze kreeg een kleur.

Raven schudde zijn hoofd.

'En heeft je vader wel eens van schelpemeisjes gehoord, of je opa?' vroeg de grootste jongen.

Raven schudde weer zijn hoofd.

'Maar je woont toch wél op een eiland, een echt eiland?' vroeg het meisje naast hem weer.

'Ja,' zei Raven zacht.

'Maar bij jullie zijn er geen kokosnotebomen en geen ananasbomen, hè?' zei het kleinste meisje uit zijn klas.

'Nee, natuurlijk niet, domoor,' antwoordde de grootste jongen voordat Raven iets kon zeggen. 'Hij woont toch niet zó ver weg. Bij jou in de straat staan toch ook niet zulke bomen!'

Hij sloeg zijn arm om Ravens schouder en trok hem mee, weg van de zandbak naar de bank. Raven liet zich meevoeren.

'Zullen we vriendjes worden?' vroeg de jongen.

Raven gaf geen antwoord.

'Zullen we vrienden worden?' vroeg de jongen nog eens.

Raven trok zich los en schoof een eindje van hem af.

'Misschien,' zei hij.

Tussen de middag kwam een van de kinderen naar hem toe die hem achterna waren gerend en hem voor liegbeest hadden uitgescholden. Ze keek hem niet aan. Ze strekte haar arm uit en hield hem een glanzend opgepoetste appel voor.

'Hier, voor jou,' zei ze. 'Gekke eilanden bestaan toch wel, want onze juf Sippora heeft vroeger ook op een gek eiland gewoond!'

Raven pakte de appel uit haar hand. 'Dank je wel,' zei hij.

Op de gang trok het kleinste meisje uit de klas aan zijn mouw.

'Wonen jullie echt in een roze huis?' vroeg ze.

'Nee,' zei Raven. 'Ons huis is groen. Wil je een appel?'

'Lekker,' zei het kleinste meisje. Ze beet met haar scherpe tandjes in de appel en liep met hem mee naar binnen, naar de zandbak.

De witte sokjes hingen er nog.

De ontdekking

Toen alle kinderen naar huis gingen aan het eind van de dag, rende Raven net als altijd naar zijn bootje. Alleen voer hij ditmaal niet meteen weg. Hij tastte onder het bankje, vond Sippora's sigarenkistje, en rende weer terug naar school. Sippora was klaar met opruimen. Ze hing nog een paar tekeningen op boven haar schrijftafel, en liep toen naar de juf uit de andere klas. Zodra ze Ravens klas uit was, sloop hij door de gang naar binnen. Hij zette het kistje terug op de tafel, precies waar het had gestaan. Hij legde de pen er in terug. En de puntenslijper die op tafel lag. En de potloden. Het was een mooi gezicht, de zilveren pen en de gele potloden in het rode kistje.

En toen zag hij ze.

Twee piepkleine gouden schoentjes.

Ze lagen verstopt onder een schrift. De potloden hadden ervoor gelegen. Als hij de potloden niet had weggehaald, had hij ze niet gezien.

Raven staarde naar de schoentjes. Toen liep hij naar de zandbak. Hij keek lang naar het emmertje, het waslijntje, de voetstapjes in het zand en de sokjes. Daarna sloop hij de gang weer door naar buiten.

'Is er nog wat gebeurd?' riep Lisa.

'Heb je haar al gezien?' schreeuwde Clara.

Raven stapte zijn bootje uit. Hij gaf hen allebei een hand en trok hen mee.

'De schoentjes waren nu weg,' vertelde hij. 'En het emmertje stond aan de andere kant. En nu was er een waslijntje, een touwtje tussen twee kleurpotloden die in het zand waren gestoken. En aan dat waslijntje hingen...'

'Broekjes!' riep Lisa.

'Hemdjes!' Clara klapte in haar handen.

Raven lachte. 'Vier witte sokjes,' zei hij.

'Morgen is het zaterdag! Gaan we morgen kijken?' riepen ze.

'Morgenochtend vroeg,' beloofde Raven.

Bananelimonade

Voordat ze vertrokken hielp Raven Pake met garnalen vissen. Ze zeiden niet veel tegen elkaar. Pake floot een wijsje tussen zijn tanden door. Dus Raven had alle tijd om naar zijn gedachten te luisteren. Hij wist dat Sippora altijd tegen een uur of twaalf op school kwam om nog wat dingen klaar te leggen voor de volgende week. En om de boodschappen die ze had gedaan in het kastje in het schoolkeukentje te zetten – pakken koffie en suikerklontjes, en biscuitjes. Hij had beloofd dat hij de schelp zou laten zien aan zijn zusjes. Dat zou hij doen. En daarna zou hij hen naar de zus van dokter Claus brengen en hun vragen daar te blijven spelen totdat hij terug zou komen.

Onderweg in het bootje praatten Clara en Lisa honderduit tegen elkaar en tegen hem over de schelp en het schelpemeisje. De wind woei door hun haren, hun ogen glansden en hun handjes, die ze stijf om de zijkant van het bootje geklemd hielden, zagen rood van de kou. Raven hoefde niets te zeggen. Ze hadden elkaar. Dus hij kon rustig zijn plan verder bedenken.

Toen hij de rivier opvoer, zei hij tegen zijn zusjes: 'Eerst gaan we naar de schelp kijken, en dan breng ik jullie naar de zus van dokter Claus. Daar moeten jullie een poosje in de tuin blijven spelen tot ik terugkom. En daar moeten jullie blijven, je mag me niet achterna komen. Er is iets wat ik moet doen.'

'Maar we willen bij jou blijven!' jammerde Lisa.

'Als jullie niet doen wat ik zeg laat ik jullie de schelp niet zien,' zei Raven streng.

'Oh!' riep Clara met grote ogen.

Verschrikt keek ze naar Lisa. Die deed haar mond stijf dicht.

Raven bond hun appelgroene bootje goed vast met de zeemansknoop. Hij gaf Clara en Lisa een hand en trok hen mee de tuin door. De zus van dokter Claus stond in de keuken. Toen ze Raven zag keek ze verbaasd. Ze maakte haar raam open en riep: 'Zeg, Raven, je weet toch wel dat het vandaag zaterdag is? Je hoeft niet naar school, hoor! En zijn dat nou je zusjes?'

Raven stond stil. 'Dit zijn Lisa en Clara,' zei hij. 'Ze komen naar mijn school kijken.'

'Komen jullie dan straks nog een glas limonade drinken, voordat jullie weer weggaan?' vroeg de zus van dokter Claus. 'Ik heb hele lekkere limonade. Gele limonade.'

'Alstublieft,' zei Raven beleefd. 'Is het dan goed dat Lisa en Clara nog even bij u in de tuin blijven spelen? Want ik moet nog iets doen.'

De zus van dokter Claus keek nieuwsgierig. Maar ze vroeg niets.

'Jazeker mag dat,' zei ze. 'Ik heb nog mooie boeken van toen ik klein was, dan kunnen we platen kijken. En misschien lees ik wel voor. Lopen jullie nu maar door en kom maar gauw terug.'

'Ze is net zo aardig als dokter Claus, geloof ik,' zei Clara toen ze de tuin uit waren. Ze begon te huppelen. 'We willen straks best bij haar op je wachten, hè Lisa?'

Lisa keek ernstig.

'Raven?' vroeg ze.

'Wat?' zei Raven.

'Gele limonade, waar smaakt dat naar?'

Raven dacht aan een warm eiland. Aan de grijze grootmoeder. Aan Sippora toen ze klein was, die de roze reuzenschelp in haar bloesje wikkelde en over haar schouder meedroeg.

'Ananas,' zei hij. 'Of bananen. Misschien is het wel bananelimonade.'

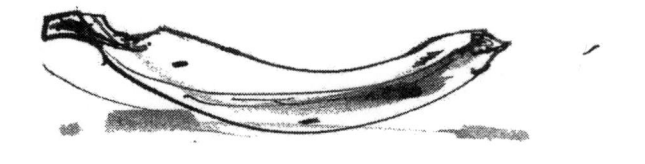

Sippora

Precies zoals Raven had verwacht stond de deur van de school open. Zijn zusjes waren stil van verwachting. Ze klemden zich aan zijn handen vast en keken links en rechts om zich heen toen Raven hen meetrok naar zijn klas. Hij trok hen regelrecht mee naar de zandbak.

De schelp lag er nog. Het emmertje stond er nog. De witte sokjes hingen nog over het waslijntje.

Hij zuchtte diep van opluchting.

Lisa en Clara zuchtten diep van bewondering.

Na een poosje aaiden ze de schelp met hun vingertjes. Ze pakten het piepkleine emmertje op en zetten het weer neer. Ze liepen om de zandbak heen en bekeken de schelp van alle kanten. Daarna bekeken ze de rest van de klas. Raven liet de puzzels zien, de boeken, de tekeningen van de kinderen uit zijn klas, en de gekke kleine potjes en pannetjes in de poppenhoek. Lisa en Clara giechelden om die potjes en pannetjes, en nog harder toen ze ook een piepklein strijkplankje zagen staan. Ze giechelden nog toen Raven ze weer meetrok de gang door, het plein over, terug naar de tuin van de zus van dokter Claus.

Hij ging alleen terug.

Hij sloop het plein over, de gang door, verstopte zich onder Sippora's schrijftafel, en wachtte.

Buiten floten de vogels.

Er reed een vrachtwagen voorbij.

Er klonk een fietsbel.

Schreeuwende kinderen renden voorbij.

Er klonken voetstappen op het plein, maar er kwam niemand.

In de verte blafte een hond.

De klok tikte en tikte en tikte.

Raven geeuwde.

En plotseling stond Sippora in de deuropening. Ze zag hem niet. Ze neuriede zacht een liedje dat hij niet kende. Ze waste een paar lijmkwastjes af bij het wastafeltje. Ze at een biscuitje. En daarna liep ze naar de zandbak.

Ze nam de schelp uit de zandbak en legde die voorzichtig op een tafeltje neer. Ze nam de sokjes van het lijntje, het emmertje uit het zand, en legde die naast de schelp. De kleurpotloden veegde ze af en zette ze bij de andere kleurpotloden in de jampot. Daarna ging ze naast de schelp op het tafeltje zitten. Ze nam de schelp op schoot en streelde met haar vinger over het gladde roze aan de binnenkant.

Ze zag Raven pas toen hij voor haar stond.

Ze hield op met neuriën. Ze legde haar handen beschermend om de schelp en staarde hem zwijgend aan.

Toen wist Raven het zeker.

Het schelpemeisje was Sippora.

Sippora was het schelpemeisje.

Het schelpemeisje

'Wil je me helpen?' vroeg Sippora. 'Ik wil mijn eiland namaken. Maandag komt het schelpemeisje te voorschijn. Wil je haar zien?'

Raven knikte.

'Ga maar zitten,' zei Sippora.

Hij klom op het tafeltje. Sippora gaf hem de schelp. De schelp was erg zwaar en paste maar net in Ravens armen. De geribbelde buitenkant voelde ruw aan toen hij zijn wang ertegen legde. Met zijn ogen volgde hij Sippora. Ze liep naar de gang en kwam terug met haar grote boodschappentas. Voorzichtig haalde ze het schelpemeisje uit de tas.

Het schelpemeisje was gemaakt van stof. Ze was bruin en had grote bruine ogen van kralen en lange wimpers en een hoofd vol zwarte vlechtjes die stijf alle kanten uit stonden. Ze had een wit jurkje aan van een paar laagjes gaas. Aan het uiteinde van ieder vlechtje zat een klein wit satijnen strikje. Sippora zette haar op haar hand en liet haar met haar hoofdje knikken.

'Dag Raven,' zei het schelpemeisje. Ze stak haar handje naar voren en aaide Raven over zijn hand.

'Dag schelpemeisje,' zei Raven schor.

Sippora had van alles meegenomen, en hij hielp haar met het opzetten van de poppenkast. Het

was veel werk en het was zwaar werk. Er was
geen echte poppenkast. Dus ze stapelden een paar
kleine tafeltjes op elkaar. Daaroverheen legden ze
een paar oude witte lakens. En daarop maakten
ze een strand. Ze maakten kleine duinen van het
zand uit de zandbak, en staken daar plukjes
helmgras in. Ze drukten gewone schelpen en een
kleine zeester in het zand. Op de muur achter de
poppenkast plakte Sippora een zee van grijs
papier, en een lucht van blauw papier. Raven
schilderde een zeemeeuw in de lucht en een
vissersbootje op zee.

Toen alles klaar was, legde Sippora
behoedzaam de roze reuzenschelp bovenop het
zand in de poppenkast. Ze zette het waslijntje
weer neer en hing de sokjes erover. Ze pakte haar

cassetterecorder, deed er een bandje in en zette hem achter de poppenkast. Raven zette het emmertje en de gouden schoentjes naast de schelp.

Toen was alles klaar voor maandag.

Raven liep naar het schelpemeisje, dat op Sippora's schrijftafel lag, en zette haar op zijn hand. Met zijn middelvinger kon hij haar hoofdje bewegen. Met zijn duim en zijn pink kon hij haar armpjes bewegen. Hij liep naar Sippora en liet het schelpemeisje aan haar mouw trekken.

'Dag schelpemeisje,' zei Sippora.

'Kom je maandag na de poppenkast bij me eten op mijn eiland?' vroeg het schelpemeisje.

'Ja, dank je wel,' zei Sippora. 'Heel graag.'

Poppenkast

De kinderen roezemoesden opgewonden. Het kleinste meisje van de klas had twee van haar vingers in haar mond gestoken en zoog daar hard op. De grootste jongen van de klas had een rood gezicht van opwinding. De vaders en moeders van de kinderen bleven kletsen en rekten tijd, omdat ze wilden weten wat er in de poppenkast zou gebeuren. Maar zolang zij er waren gebeurde er niets, en ten slotte gingen ze weg. Ze zwaaiden nog buiten. Er toeterde nog een auto. De kinderen fluisterden nog.

Toen ging het licht uit. Alleen één lampje scheen op de roze, glanzende schelp. Er klonk een zachte klik, en toen het geluid van de branding en van schreeuwende meeuwen. En heel in de verte een fluit. Geheimzinnig en ijl.

Het gefluister verstomde. Iedereen hield zijn adem in. Het kleinste meisje schoof dichter tegen Raven aan. Raven keek naar haar bleke gezichtje. Ze haalde haar vingers uit haar mond en zocht naar zijn hand. Hij pakte haar natte vingers stevig vast.

Van achter de schelp kwam het schelpemeisje te voorschijn. Ze zweefde op de muziek van de verre fluit over het strand en keek uit over de zee. Daarna raapte ze een schelpje op, en bracht dat naar haar eigen grote schelp. Ze aaide een zeester. Ze zong een heel zacht liedje. Ze haalde de vier

sokjes van het waslijntje en deed ze in haar
emmertje. En ze nam haar emmertje weer mee de
schelp in.

Toen ze voor de tweede keer te voorschijn
kwam, keek ze pas echt goed om zich heen. Ze
zag de kinderen. Ze schrok. Ze sloeg haar handjes
voor haar ogen en stond zo even stil. Toen schoot
ze naar de schelp en verdween ze. Er was alleen
nog het geluid van de branding en de meeuwen.
De verre fluit was niet langer te horen.

'Hé, schelpemeisje, kom maar weer naar
buiten!' riep een jongen.

'Ja, kom maar, we doen niks,' fluisterde een
meisje.

'Schelpemeisje!' piepte het kleinste meisje naast Raven. 'Niet bang zijn!'

'Maar... maar jullie zijn mensenkinderen,' klonk een zacht stemmetje vanuit de schelp. 'En... en mensenkinderen, daar moet je voor uitkijken, heb ik altijd gehoord. Aan mensenkinderen moet je je niet laten zien. Alleen voor schelpekinderen zoals ikzelf kan ik te voorschijn komen. Want schelpekinderen kun je vertrouwen.'

'Dat is niet waar, wij doen je niks!' zei een jongen boos. Hij stampte met zijn voet op de vloer.

Het hoofdje van het schelpemeisje stak uit de schelp. Ze gluurde vanuit de poppenkast naar de kinderen. Toen kwam haar armpje ook uit de schelp. Haar handje wees.

'Daar!' zei ze. 'Daar zit een ander kind!'

Iedereen keek om.

Raven ook.

De blauwe schoentjes

'Een soort mensenkind, maar ook een schelpekind,' zei het schelpemeisje.

'Dat ben jij!' riep de jongen voor Raven. Hij trok Raven aan zijn trui overeind zodat hij kwam te staan. 'Ze bedoelt jou!'

'Ja, jij bent toch een beetje een schelpejongen!' riep een meisje. 'Jij woont op een eiland, en vlak aan het strand!'

'En je verzamelt schelpen,' zei het kleinste meisje tegen Raven. Ze lachte naar hem op, trok haar hand los en stak haar vingers weer in haar mond.

Het schelpemeisje wees nog steeds naar Raven.

'Wat vind jij ervan, half mensenkind, half schelpekind? Kan ik te voorschijn komen? Wat vind jij ervan? Zal ik deze mensenkinderen mijn nieuwe blauwe schoentjes laten zien? Kun jij me beloven dat ze me niets zullen doen? Kun jij me beloven dat ik ze kan vertrouwen?'

De kinderen hielden hun adem in.

Het schelpemeisje zweeg.

Een paar kinderen kregen een kleur.

De grootste jongen schuifelde met zijn voeten.

Raven slikte en wist niet wat hij moest zeggen.

'Zeg dan ja!' zei het kleinste meisje. Ze gaf hem een duwtje. Hij struikelde. Hij pakte de jongen voor zich vast aan zijn schouder. De jongen keek met donkere ogen naar hem op. 'Zeg wat!' fluisterde hij.

'Schelpemeisje!' riep Raven. 'Ben je er nog?'

Het bleef even stil. Toen klonk het stemmetje: 'Ja, ik ben er nog.'

'Ik kan niets beloven!' riep Raven. 'Maar toch moet je te voorschijn komen en je nieuwe blauwe schoentjes laten zien!'

Jan, Piet, Joris en Corneel

Sippora zat met haar handen in elkaar gevouwen in haar schoot. Haar donkere krullen waaiden voor haar ogen. Haar hals was lang en gestrekt en ze keek strak naar het eiland van zand. Vijf donkere figuurtjes wachtten bovenop het hoogste duin onder de bewolkte hemel en keken uit over zee. De kleintjes zwaaiden.

'Dat zijn mijn zusjes Clara en Lisa,' zei Raven. Hij hield het roer stevig vast en zorgde ervoor dat er zo min mogelijk water over Sippora spatte. Een vissersboot voer voorbij – de vissersboot die hij ook was tegengekomen op zijn eerste schooldag, op weg naar huis.

De visser zwaaide. Raven zwaaide terug.

De visser zette zijn handen aan zijn mond. 'Is dat nou je juffrouw?' riep hij.

'Ja!' schreeuwde Raven.

De visser knikte en zwaaide nog eens. Sippora bleef verlegen naar het eiland staren.

Raven voer recht op het haventje af. Zijn vader en moeder, Clara en Lisa en Pake stonden hen op te wachten.

Ze staarden Sippora aan.

'Welkom,' zei Ravens moeder.

'Dag juffrouw,' zei Pake verlegen.

'Sippora! Sippora van de schelp!' riepen Lisa en Clara door elkaar. 'Raven heeft Sippora gekozen!'

Sippora keek niemand aan. Ze klom aan wal, boog zich over het touw en legde het appelgroene motorbootje vast met een echte zeemansknoop.

'Welwel,' zei Pake. 'Zozo.'

'Heb je de schelp bij je, Sippora? Is het schelpemeisje eruit gekomen?' vroegen Clara en Lisa. Ze pakten Sippora ieder aan een kant aan haar hand vast.

Sippora sloeg haar ogen op.

'Dank u wel voor de uitnodiging,' zei ze tegen Ravens moeder.

Ze glimlachte tegen Ravens vader.

Ravens vader kreeg een kleur. 'Vond u het rode kistje mooi?' vroeg hij.

'Ja,' zei Sippora. 'Heel mooi.'

Ze begonnen naar de groene huisjes te lopen. Ravens vader droeg Sippora's grote, zware boodschappentas. Hij liep samen met Pake voorop en nam lange stappen. Sippora vertelde Ravens moeder en Clara en Lisa over haar warme eiland ver weg, en over haar grijze grootmoeder. Telkens stopte ze even met praten en stond ze even stil om zich heen te kijken en dan zuchtte ze diep en glimlachte ze.

Raven liep achteraan. Nu en dan rende hij een stukje. Dan stond hij weer even stil. Hij maakte een paar danspasjes en huppelde even. Hij maakte zelfs een koprol in het zand. Toen rende hij hard naar zijn vader en Pake. Hij pakte zijn vaders hand.

Zijn vader keek naar beneden.

'Zou ze een wedstrijdje willen hardlopen?' vroeg hij. Zijn ogen lachten.

'Ja hoor,' zei Raven. En hij was zo trots op Sippora dat hij luid begon te zingen. Hij zong: 'Al die willen te Kaap-ren varen, moeten mannen met baarden zijn. Jan, Piet, Joris en Corneel, die hebben baarden! Die hebben baarden! Jan, Piet, Joris en Corneel, die hebben baarden, zij varen mee!'

Het verlichte venster

Ze aten garnalen en gebakken haring. Ze aten vers brood met eilandbessenjam. Sippora kreeg groene verf aan haar broek, omdat ze op een pasgeverfd krukje ging zitten. En ze dronken nogal veel glazen van de eilandbessenwijn die ze anders altijd bewaarden voor verjaardagen en de visites van dokter Claus.

Onder het eten zong Sippora, die niet langer verlegen was: 'Makkers aan boord! Hoort de golven, hoort! Zeemansheil joech-hee! Geklonken nog eens, gedronken nog eens, zeemans-heil joech-hee! Liefjes tranen blinken, doen de moed niet zinken. Nog eenmaal haar gekust, nog eenmaal haar gesust. Hoog de zee, joech-hee!'

Ravens moeder, Clara en Lisa kregen de slappe lach. Ravens vader vroeg giechelend of Sippora het lied nog eens wilde zingen, want hij wilde het uit zijn hoofd leren. Pake schonk iedereen nog een glaasje eilandbessenwijn in en mompelde: 'Welwel,' en 'Zozo.'

Sippora vertelde over de poppenkast. Ze vertelde hoe het schelpemeisje had besloten de kinderen te vertrouwen en hun haar blauwe schoentjes had laten zien.

'Sippora was het schelpemeisje,' zei Lisa tegen Clara.

'Het schelpemeisje was Sippora,' zei Clara tegen Lisa.

Sippora haalde de schelp uit haar tas en legde hem op tafel. Ze pakte het schelpemeisje en zette haar op haar hand.

'Dag Clara, dag Lisa,' zei het schelpemeisje. Ze was toch nog een beetje bang. Ze verschool zich in Sippora's nek en keek door haar krullen heen de kamer in. Nu en dan sloeg ze haar handjes voor haar gezichtje en giechelde ze.

Raven glipte naar buiten.

Hij rende het pad af naar Pakes groene huisje.

Noenke zat in haar stoel bij het raam en staarde naar het verlichte venster van zijn huis, boven op het duin. Toen hij binnenkwam keek ze schichtig langs hem heen.

Raven sloeg zijn armen wild om haar heen.

'Je moet komen!' zei hij gesmoord met zijn gezicht tegen haar buik. 'Je moet echt naar het schelpemeisje komen kijken.'

'En had je nog nooit, nog nooit eerder mensen ontmoet, schelpemeisje?' vroeg Lisa.

Het schelpemeisje knikte. 'Jawel,' zei ze met een klein stemmetje. 'Wel eens, maar al heel lang geleden. En daarna niet meer.'

Raven trok Noenke verder naar binnen, de deuropening uit, en deed de deur achter haar dicht. Hij hield haar stevig vast zodat ze niet weg kon lopen. Noenke hield haar handen voor haar gezicht. Ze bleef stijf vlak bij de deur staan.

'Wat jammer, schelpemeisje, wat jammer! We hadden al heel lang vrienden kunnen zijn als je eerder uit de schelp was gekomen,' zei Pake luid.

Noenke keek door haar vingers naar de tafel. Ze keek naar Clara en Lisa die tegen Sippora aan leunden. Ze keek naar haar blote voeten. Ze keek omhoog en omlaag en opzij.

'Misschien,' zei het schelpemeisje. 'Maar misschien was ik wel iemand tegengekomen die mijn haren uit mijn hoofd had getrokken en mijn jurk kapot had gemaakt.'

Noenke keek door haar vingers naar de schelp. Noenke keek naar het schelpemeisje.

'Sippora had je wel weer gemaakt,' zei Pake.

'Maar dan was ze niet meer zo mooi geweest!' riep Clara.

'Tja, zo gaat dat,' zei Pake.

De zilver-zoete zee

Ze stonden op het hoogste duin. Donkere wolken dreven snel langs de maan. De wind stormde en kleine zandkorreltjes striemden in hun gezichten. Het regende zacht.

Clara en Lisa hielden elkaars handen vast. 'Wij mogen een voorsprong, wij mogen een voorsprong!' gilden ze boven de wind uit.

'Dus wie het eerst de branding in loopt!' schreeuwde Ravens vader.

Raven keek naar Sippora. Die hield haar lippen vastberaden op elkaar geklemd. Ze knikte naar hem. Hij knikte terug en zette zich schrap.

'Ik mag ook een voorsprong, want ik ben de oudste!' riep Pake. Hij trok Clara en Lisa mee tegen de wind in, alvast een stukje van het duin af.

Noenke stond achteraf. Haar handen hingen nu langs haar zij. Ze hield haar gezicht opgeheven naar de donkere hemel en liet het natregenen.

'Nog drie flitsen van de vuurtoren, en we starten!' riep Ravens moeder. Ze trok haar rok op, knoopte die vast om haar middel en lachte naar Sippora.

Ze telden allemaal. Donker, licht. Donker, licht. Donker...

Licht.

Raven vloog van het duin af. Zijn voeten raakten het zand bijna niet. Hij leunde op de

wind. Beneden lag de zee. Zilver, zout en zoet.
Naast hem rende Sippora. Haar lange benen
namen grote sprongen. Ze keek recht vooruit,
naar de branding.

Ze renden. De wind floot.
Een meeuw schreeuwde.
Licht. Donker. Licht.

En Noenke vloog hen voorbij. Ze schoot over het harde natte zand van het strand en liet zelfs geen voetafdrukken na.

En ze plonsde in de branding. Zilveren druppels vlogen in het rond. Sippora rende haar achterna. Ravens vader schoot Raven voorbij. Raven liet zich languit voorover in het water vallen.

Pake, Lisa, Clara en zijn moeder kwamen helemaal achteraan.

Donker. Licht. Donker. Licht.

Het koude water van de zee sloeg in een hoge golf over Raven heen. Hij lachte hard en greep Sippora en zijn vader vast.

Noenke kwam omhoog uit de golven en slingerde haar haren over haar schouders. Ze boog zich voorover en spatte Raven nog natter. En Ravens vader nog natter. En Sippora een klein beetje, voorzichtig.

Voordat Raven, Lisa en Clara gingen slapen, zong Ravens vader een slaapliedje voor hen. Het licht in hun kamertjes was al uit. Hun natte kleren hingen in de keuken.

Pake en Noenke liepen onder Ravens venster door, het pad af, naar hun huisje beneden. Ravens moeder maakte een bed op de bank voor Sippora en zijn vader zat op de trap en zong zacht.

Hij zong: 'Wel, Iseland, gij 'n bedroefde kust, gij doet er menig herte lijden; gij maakt de meisjes geheel ongerust, in de bedroefde zomertijden. Omdat zij hun lief plezant vijf grote maanden moeten derven – ze zijn gevaren naar Iseland; de meisjes zijn al om te sterven...'

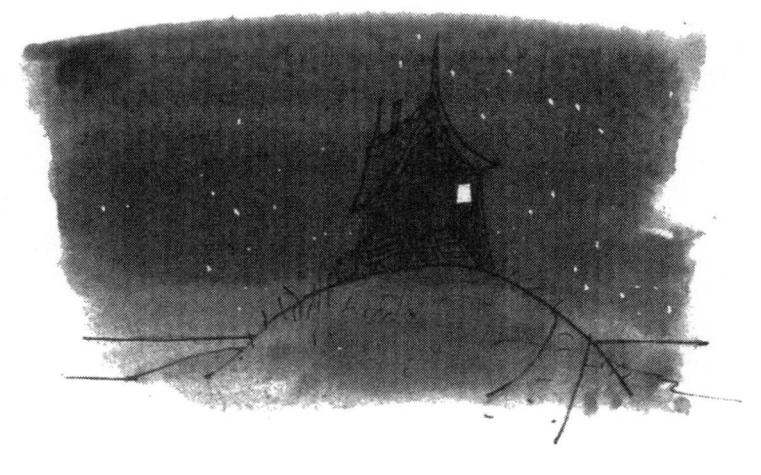